마소두래기

: 말을 이곳저곳 옮겨 퍼뜨리는 것

마소두래기 : 말을 이곳저곳 옮겨 퍼뜨리는 것

발　행 | 2024년 2월 21일
저　자 | 조우송
펴낸이 | 한건희
펴낸곳 | 주식회사 부크크
출판사등록 | 2014.07.15.(제2014-16호)
주　소 | 서울특별시 금천구 가산디지털1로 119 SK트윈타워 A동 305호
전　화 | 1670-8316
이메일 | info@bookk.co.kr

ISBN | 979-11-410-7301-5

www.bookk.co.kr
ⓒ 조우송 2024

마소두래기
: 말을
이곳저곳
옮겨
퍼뜨리는 것

조우송 지음

가라사니

기억을 더듬을 즈음에 불쑥 찾아오는 슬픔이 있다.

이성적인 삶을 살아가다 보면 더더욱 그렇다. 상대방에게 정상적인 사고를 내비치고 싶어 때로는 나 자신을 잃어버리는 순간이 있다. 과연 나 자신의 본질은 무엇일까? 기억 속의 나는 존재 자체만으로 찬란한 사람이었다. 누군가에게 사랑받고 소중한 기억 조각. 인생의 퍼즐을 끝맺음해 줄 수 있는 존재. 그래서 너는 그만큼 가치 있는 사람이라는 것이다.

이 책을 읽으면서 그동안 잊고 있었던 쿰쿰한 종이 내음과 편안한 마음의 안식을 가져보았으면 한다. 평소에 잘 느껴 보지 못하였던 표현, 문장, 생각 들을 모아 조합해 보았다. 한 문장, 문장 곱씹으면서 널브러져 있는 기억의 퍼즐을 주워 담고 나라는 액자에 꾹꾹 눌러 담아보았으면 좋겠다. 그러면 어느 순간 자연스레 본질을 알 것이고 가치를 증명할 수 있을 것이다.

제 1화 늘 해랑

제자리

시원한 밤바람이 내 귀에 속삭인다.
풀 소리에 귀 기울이라고

눈을 감고 소리에 집중한다.
자연의 베이스 연주가 흐른다.
숲이 우는소리
새들이 웃는 소리

감정의 자리가 제자리를 찾아간다

마소두래기 : 말을 이곳저곳 옮겨 퍼뜨리는 것

힘내

가느다란 감정의 끈을 잡는다.
느슨해지지 않게

마음에 상처가 될 만큼 꼭 잡는다.
울지 않을 거야

참을 수 있으리라 믿는다.
어쩌면 다른 상처가 될지도 모른다.

근데 뭐
가끔 눈물 흘리면 어때
힘들면 울어도 돼
힘내!

　마소두래기 : 말을 이곳저곳 옮겨 퍼뜨리는 것

굳건히

나를 깨워주렴
나를 보살펴 주렴

기다림에 지쳐 시들어 가는 나팔꽃
다음 아침에 꽃을 피우게 해 주렴
너의 연락은 양분이 되고
너의 관심은 상쾌한 물이 된단다.

소식을 보고 싶구나
그때의 기억을 갈망하는 나에게.

마소두래기 : 말을 이곳저곳 옮겨 퍼뜨리는 것

희망

행복이 가득한 삶
훈훈한 마음을 담은 사람들
그런 건 없는 줄 알았어.

이제 마음의 커튼을 열어보려 해
커튼을 열자

보이는 건 캄캄한 밤하늘의 은하수였다
찬란히 밝게 빛나리

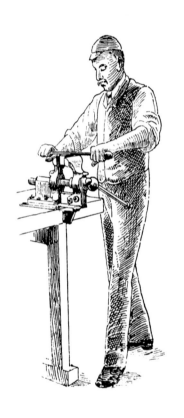

　　마소두래기 : 말을 이곳저곳 옮겨 퍼뜨리는 것

오랜만이야

덜어 주려 애쓰는 마음이 예뻐
나를 감싸는 소중한 눈빛이 사랑스러워
예쁘고 사랑스러워
너
어느샌가 귀여워진
너
담아내기엔 부족한
나
졸기찬 기쁨 한아름을 안겨준다

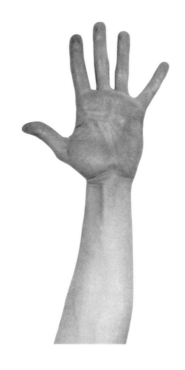

　　마소두래기 : 말을 이곳저곳 옮겨 퍼뜨리는 것

최선

오늘 하루 최선을 다했다면
그대에게 작은 선물을 드리리

퍽 아름답지 않고
꼭 반짝이지 않는
나를 드리리

마음에 들지는 모르지만
최선을 다한 나를

마소두래기 : 말을 이곳저곳 옮겨 퍼뜨리는 것

그대에게

말을 하지 않아도
듣지 않아도
혹여나 그 반대여도
나는 여전히 사랑하네

사랑 끝에 우두커니 서 있는 나
저 끝엔 무엇이 있으려나

그 무엇이라 해도 나는 사랑하네

　　마소두래기 : 말을 이곳저곳 옮겨 퍼뜨리는 것

제2화 비나리

숨

길을 잃은 밤
나는 저만치 떨어진다.
누구도 찾지 못하고
마음만 지쳐간다.

살며시 눈을 감아본다.
천천히 숨을 내쉰다.
한숨 두 숨 세 숨 네 숨

네 숨 만에 네가 다가왔다.

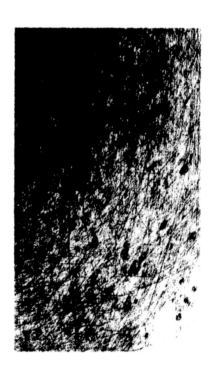

마소두래기 : 말을 이곳저곳 옮겨 퍼뜨리는 것

즐거움

랄라라라 랄랄랄
하하하하 핳핳핳
크크크크 킁킁킁
캬캬캬캬 캭캭캭
케켁 웩

마소두래기 : 말을 이곳저곳 옮겨 퍼뜨리는 것

사실 나는

감정을 억누른다는 것은 무서운 일이다

진심을 거부한 채
현실에 부딪혀 억눌려져 간다.
내면에선 폭풍우가 몰아치고
머릿속은 너의 생각으로 가득하다.

정년 중요한 건 잊어버린 채
일상으로 돌아간다.

　　마소두래기 : 말을 이곳저곳 옮겨 퍼뜨리는 것

지금

마음이 오르트 구름 같아
조금 더 부풀면 펑 하고 터져버릴 거야
감정의 씨가 흩어지려고 발버둥 치고 있어
이게 아닌데
뭔가 엇나가는 것 같아
이별하지 않았는데 이별한 느낌이다

마소두래기 : 말을 이곳저곳 옮겨 퍼뜨리는 것

청록색

오늘은 청록색 하늘을 보았다.
꼭 너를 보는 것 같았다.
온 세상이 너로 물들고
청하 한 기분이 든다.

언젠간 만날 수 있겠지
다짐한다.

그리운 내 사랑아

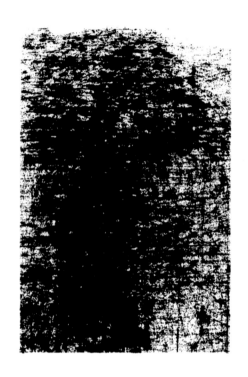

마소두래기 : 말을 이곳저곳 옮겨 퍼뜨리는 것

너

너 없는 하루가 또 이렇게 흘러간다.

흘러가라고 한 것이 아니지만
흘러간다.

아이들의 와자지껄 떠드는 소리
숲속 친구들이 찌르르 우는소리
다 너와 느꼈던 것들이지만
한순간에 사라져 버렸다.

다시 돌아오면 좋으려만
너

마소두래기 : 말을 이곳저곳 옮겨 퍼뜨리는 것

물감

우린 섞여 살아
우리의 색깔이 섞이고
조그마한 생각까지도 섞여
섞으면 섞을수록 사랑 색이 되고
마치 데칼코마니처럼 같은 색을 띠게 돼
이러다 우리도 모르게 거뭇한 믿음이 되어버려

제3화 아람

털 깎이

털털 털털
엔진음이 들린다
등엔 진동이 가득하고
땀이 계곡을 따라 흘러간다
금방 땀이 불어 넘쳐흘렀다
조상을 위해 우리를 위해
누군가는 알아주리라

마소두래기 : 말을 이곳저곳 옮겨 퍼뜨리는 것

내 마음과는 다르게

소리 없이 커져 버린 나의 마음은
저 멀리 메아리로 울려 퍼졌지
들릴 듯 말 듯 하게

휘몰아치는 감정을 담아
나는 가을 속 그대에게 간다.

한 걸음 떼기가 무섭게 그대는 달아난다.

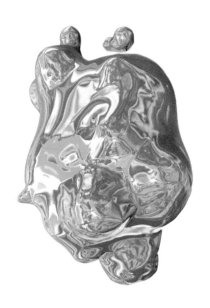

마소두래기 : 말을 이곳저곳 옮겨 퍼뜨리는 것

기억 조각

종이 쪼가리 하나에 추억이 깃들어져 있어
고작 종이 쪼가리인데
살다 보면 아무것도 아닌데
참 의미라는 것이 대단한 거 같아
아무리 사무쳐도
여전히 그리워도
잊지 못해

　　마소두래기 : 말을 이곳저곳 옮겨 퍼뜨리는 것

바람

바람은 소리 없이 지나간단다
그러나 귓속에 스쳐 방문할 때
스스 스스 소리를 낸다.
그럴 때면 생각한다.
바람아 너도 감정이 있겠구나
너는 조용하지만 할 말은 많겠구나

오늘은 어째서인지 흐느끼는 소리가 들린다.
바람아 괜찮아, 멈추지 않아도 돼

마소두래기 : 말을 이곳저곳 옮겨 퍼뜨리는 것

꼭대기의 수줍음

저 변두리에 있는 나무를 봐
우두커니 공기를 가르고 있어
옆의 친구들을 배려하고
자기만의 영역을 넓히고 있어
참으로 기특하구나
혹시나 하는 마음에 말을 걸어본다.

마소두래기 : 말을 이곳저곳 옮겨 퍼뜨리는 것

토닥토닥

너의 마음 두드리는 일
참 어려운 일이야
많이 고민하는 거 알아
머릿속이 복잡한 것도 알지
더 이상 울지 마
나와 함께 토닥이지 않으렴?

마소두래기 : 말을 이곳저곳 옮겨 퍼뜨리는 것

해류 뭄 해리

빗방울이 우두 두둑 떨어진다.
우두 두둑 우두 두둑
아프진 않을까?

자세히 보았더니
깡충깡충 빗방울이 뛰어다녀
아프진 않을까 걱정했지만

신난다니 다행이야.

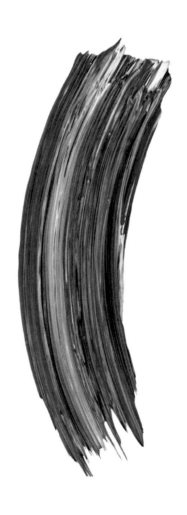

　　마소두래기 : 말을 이곳저곳 옮겨 퍼뜨리는 것

끝 끝 끝 끝 끝 끝 끝 끝 끝

END END END END END

おしまい おしまい おしまい

头尾 头尾 头尾 头尾 头尾

끝 끝 끝 끝 끝 끝 끝 끝 끝

END END END END END

おしまい おしまい おしまい

头尾 头尾 头尾 头尾 头尾

끝 끝 끝 끝 끝 끝 끝 끝 끝

END END END END END

おしまい おしまい おしまい

头尾 头尾 头尾 头尾 头尾

마소두래기 : 말을 이곳저곳 옮겨 퍼뜨리는 것